SO-ALG-191

TIBURÓN VS. TREN

SCHOLASTIC INC.   CHRIS BARTON Y TOM LICHTENHELD

TIBURÓN

Bueno, eso depende de si están...

o en las líneas del ferrocarril.

Si están en
un subibaja...

o en globos
aerostáticos.

comiendo pasteles...

o en un concurso de eructos.

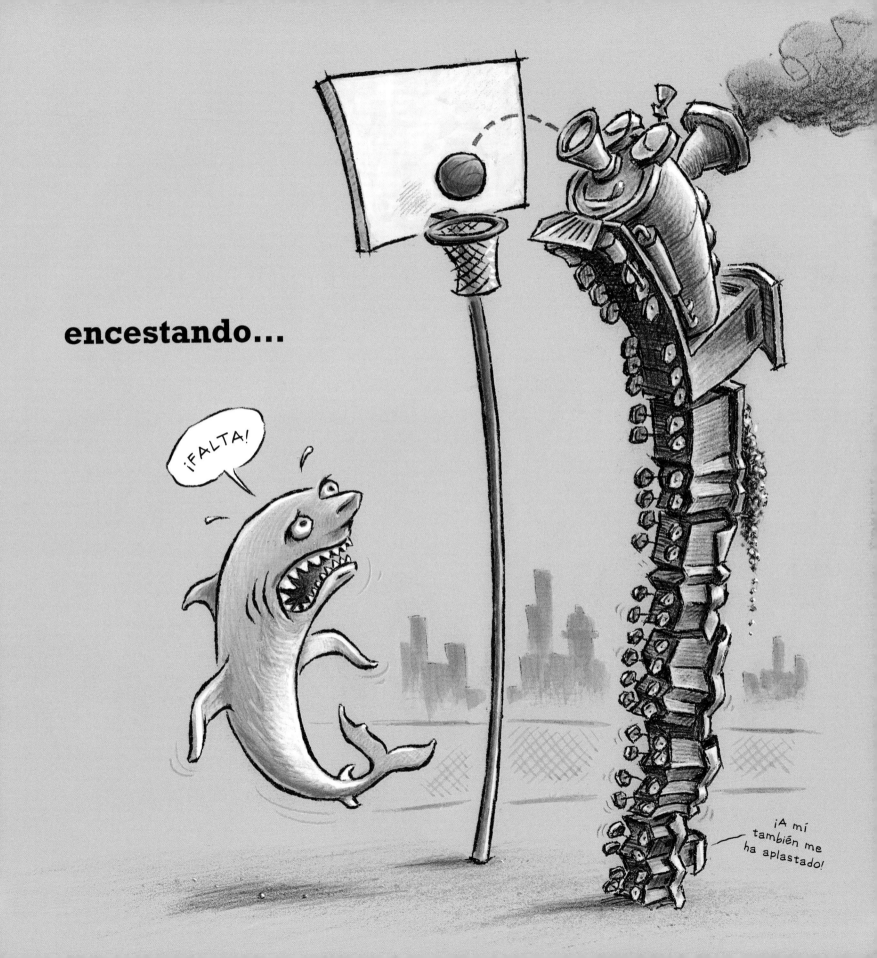

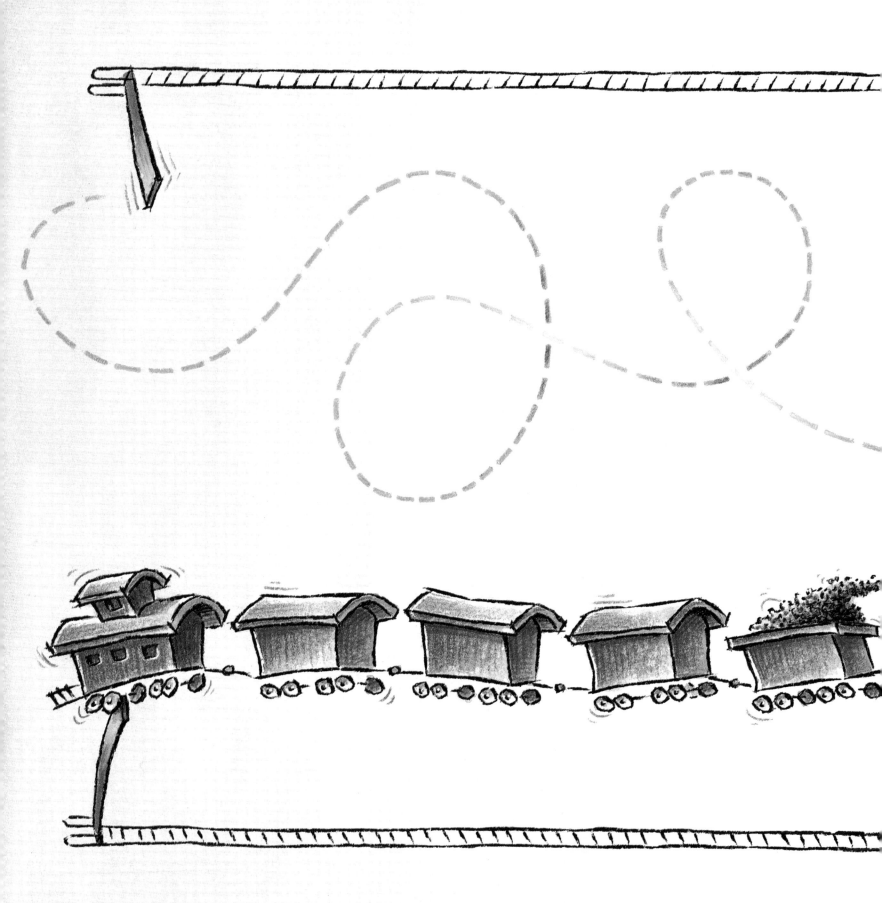

o lanzándose
del trampolín.

Con un puesto de limonada...

o el día de Halloween...

o en un parque de diversiones.

Depende de a quién le toque primero...

quién elige el juego...

y quién reparte
las cartas.

Pero, ¿quién gana
si están...

jugando a las escondidas...

¿En un recital de piano...

o jugando *Ardillas zombies en motocross?*

¿De viaje por distantes galaxias...

o en un duelo
en una cuerda floja...

o...

Final de la línea.

Para Erin, por ayudarme a coger impulso y por decirme cuándo estaba empapado
—C.B.

Como siempre, con amor y aprecio a Jan —T.L.

Originally published in English by Little, Brown and Company as *Shark vs. Train*

Translated by Eida de la Vega

Text copyright © 2015 by Chris Barton
Illustrations copyrigth © 2015 by Tom Lichtenheld
Translation copyright © 2017 by Scholastic Inc.

All rights reserved. Published by Scholastic Inc., *Publishers since 1920*, by arrangement with Little, Brown and Company, a division of Hachette Book Group, Inc. SCHOLASTIC, SCHOLASTIC EN ESPAÑOL, and associated logos are trademarks and/or registered trademarks of Scholastic Inc.

The publisher does not have any control over and does not assume any responsibility for author or third-party websites or their content.

No part of this publication may be reproduced, stored in a retrieval system, or transmitted in any form or by any means, electronic, mechanical, photocopying, recording, or otherwise, without written permission of the publisher. For information regarding permission, write to Hachette Book Group, Inc., 1290 Avenue of the Americas, New York, NY 10104.

This book is a work of fiction. Names, characters, places, and incidents are either the product of the author's imagination or are used fictitiously, and any resemblance to actual persons, living or dead, business establishments, events, or locales is entirely coincidental.

ISBN 978-1-338-19340-4

10 9 8 7 6 5 4 3 2 1   17 18 19 20 21

Printed in the U.S.A.   08
First Scholastic printing 2017

Jerry y Whacker Barton

Chris Barton jugaba tanto de niño con figuras de acción como sus hijos lo hacen hoy en día con tiburones y trenes de juguete. Chris es también el autor de *The Day-Glo Brothers* y vive con su familia en Austin, Texas.

Jack Lichtenheld

Tom Lichtenheld ha escrito y/o ilustrado un cargamento de libros, como *What Are You So Grumpy About?* y el bestseller del *New York Times, Duck! Rabbit!* Puedes ver todos sus libros en tomlichtenheld.com.